A BOOK OF
GERMAN IDIOMS

A BOOK OF
GERMAN IDIOMS

by

E. SCHEYER,
M.A., DR.JURIS
Lecturer in German, Trinity College, Dublin

and

R. W. E. WEIL,
M.A. B.LITT.
Assistant Master, The Methodist College, Belfast

METHUEN & CO. LTD LONDON
36 Essex Street, Strand, WC2

First published in 1955

CATALOGUE NUMBERS
5799/U
8117/U (School Edition)

PRINTED AND BOUND IN GREAT BRITAIN
BY RICHARD CLAY AND COMPANY, LTD., BUNGAY, SUFFOLK

PREFACE

LONG experience in universities and schools has shown that students and pupils in the higher forms may, in the course of the years, acquire quite a large vocabulary, but that they will still be unable to express themselves idiomatically in German. They feel awkward when they have to converse in German because they lack expressions of everyday life. Very often, also, they are incapable of reading modern literature because they are unacquainted with many of the words and phrases to be found in contemporary German authors. Finally, when faced with writing a letter or an essay, they are usually unable to express themselves in accordance with modern usage, so that often whole sentences are incomprehensible.

This book attempts to remedy this defect, and to give greater confidence and power of expression to every pupil and student, indeed, to anyone wishing to learn German, who uses this selection of modern idioms. We have added a section on some modern German words, many of which may not be found in the older dictionaries. There is also a section on certain prepositions and homonyms which, experience has taught us, even quite advanced students seem to find confusing.

This book makes no claim to being complete. It is impossible to produce an exhaustive collection of idioms; but this selection has been carefully made so as to provide the student with a considerable number of everyday idiomatic expressions. Of course, there may be differences of opinion regarding some of the English translations of the German phrases, especially when there are no equivalent English idioms. But the same difficulties may be encountered even in large dictionaries. It has been attempted, however, to find equivalent English idioms wherever possible, or to choose an English rendering that would enable a German, using this book, to learn a useful English expression. Cultural and commercial relations between the English-speaking world and Germany have become so close since the War that the book is meant to serve as an aid to German students of English.

A number of the so-called 'slang' expressions have been marked with an asterisk. But in modern usage the border-line between slang and colloquial language is frequently not clearly marked. A modern language develops constantly, and all the time former 'slang' expressions become 'respectable', and the student would be well advised to bear that fact in mind. Here, too, one may hold different views as to whether an expression is 'slang' or not. The idioms in this book have been chosen because they illustrate the great richness of the German language.

Finally, we wish to thank several friends who have helped us in various ways with our work. Our special thanks for his assistance are due to Professor M. F. Liddell, M.A., PH.D., Trinity College, Dublin.

E. S.
R. W. E. W.

October 1954

CONTENTS

SECTION A: IDIOMS.

SECTION B: USEFUL VOCABULARY.

SECTION C: PREPOSITIONS; WORDS OFTEN CONFUSED; HOMONYMS.

CONTENTS

SECTION A: IDIOMS.

(1) BUSINESS, MONEY, COMMERCE

Er fachsimpelt. Er redet von Geschäften. }	*He is talking shop.*
Dem Handwerk nach	*By trade*
Die Geschäfte gehen schlecht.	*Business is slack.*
Die Preise gehen in die Höhe.	*Prices are rising.*
Die Preise gehen herunter.	*Prices are falling.*
Er hat kein Geld bei sich.	*He has no money on him.*
Ich habe leider kein Kleingeld.	*I am afraid I have no change.*
Können Sie mir auf zehn Mark herausgeben?	*Can you give me change for ten marks?*
Geld bei der Bank einzahlen.	*To lodge money with the bank.*
Geld abheben.	*To withdraw money.*
Er hat Geld zurückgelegt. Er hat Geld auf die hohe Kante gelegt. }	*He has put money by.*
Er legt sein Geld an.	*He invests his money.*
Steuern veranlagen.	*To assess taxes.*
Er liess es durch einen Sachverständigen taxieren.	*He had it valued by an expert.*
Unter den Hammer kommen.	*To be put up for auction.*
Bar bezahlen.	*To pay in cash.*
Den Betrag gutschreiben.	*To credit the account.*
Den Betrag belasten.	*To debit the account.*
Die Rechnung betrug nur drei Mark.	*The bill amounted to only three marks.*

1

Sie können es mir auf die Rechnung setzen.	*You can put it on my bill.*
Ich werde wöchentlich zahlen. Ist Ihnen das recht?	*I will pay weekly. Does that suit you?*
Auf seine Kosten	*At his expense*
Bis zum Betrage von	*To the amount of*
Bei freier Station	*With board and lodging free*
Er ist in Kost und Logis.	*He has board and lodging.*
Er ist knapp bei Kasse.	*He is short of money.*
Er hat leere Taschen.	*He is 'broke'.*
Er ist arm wie eine Kirchenmaus.	*He is as poor as a church mouse.*
Er hat nichts zu beissen und zu brechen.	*He is starving.*
Er schwimmt im Gelde.	*He is rolling in money.*
Er ist steinreich.	*He is worth a mint of money.*
Er ist ein Geizhals. *Er ist ein Geizhammel.	} *He is a miser.*
Ein schönes Stück Geld	*A good deal of money*
Er lebt über seine Verhältnisse.	*He lives beyond his means.*
Er lebt auf grossem Fuss.	*He lives in great style, luxury.*
Das kam ihm hoch zu stehen.	*That cost him dear.*
Er hat es mit Schaden verkauft.	*He has sold it at a loss.*
Er kauft es um einen geringen Preis.	*He buys it at a low price.*
Er kommt damit aus.	*He can manage with it.*
Sie spielen um Geld.	*They play for money.*
Er erfüllte eine Verbindlichkeit.	*He met an obligation.*
*Er tritt ihn.	*He presses him for payment.*
Er hält ihn knapp.	*He keeps him short (of cash).*
Er macht es zu Geld. Er versilbert es.	} *He turns it into money.*

Er brachte sein Schäfchen ins Trockene.	*He has feathered his nest.*
Die Ware ist wenig gesucht.	*These goods are little in demand.*
Die Waren gehen weg wie warme Semmeln.	*The goods sell like hot cakes.*
Er hat einen Anteil am Geschäft.	*He has a share in the business.*
Er kann das aus Paris beziehen.	*He can obtain that from Paris.*
Sie haben alle bekannten Sorten (Zigaretten).	*They have all the well-known brands (cigarettes).*

(2) LAW

Er hat sich gegen das Gesetz vergangen.	*He has offended against the law.*
Er hat ein Geständnis abgelegt.	*He has confessed.*
Er hat sich schuldig bekannt (vor Gericht).	*He has pleaded guilty.*
Er sitzt hinter schwedischen Gardinen. Er sitzt hinter Schloss und Riegel.	*He is in jail.*
Er hat die Todesstrafe erlitten.	*He has suffered the death-penalty.*
Bei Todesstrafe	*On pain of death*
Er gibt es zu Protokoll.	*He states it in evidence.*
Er legt Zeugnis ab.	*He gives evidence.*
Das Gericht hat das Verfahren niedergeschlagen.	*The court has quashed the lawsuit.*
Es ist zu meinem Gunsten entschieden worden.	*It has been settled in my favour.*
Er kennt nicht die Bestimmungen.	*He does not know the regulations.*

Das Gesetz (der Antrag) geht durch.	*The bill (motion) is carried.*
Er klagt auf Schadenersatz.	*He sues for damages.*
Er leistete ihm Ersatz dafür.	*He compensated him for it.*
Er handelt in meinem Namen.	*He acts on my behalf, in my name.*
Unter Ausschluss der Öffentlichkeit	*In camera*
Das Komitee ist beschlussfähig.	*There is a quorum of the committee.*

(3) VISITS, TRAVEL

Er macht einen Anstandsbesuch.	*He pays a formal call.*
Sie sind zu einem Empfang eingeladen.	*They have been invited to an 'at home'.*
Er spricht bei ihm vor.	*He calls on him.*
*Er fällt ihm in die Suppe.	*He drops in on him (unexpectedly or during a meal).*
Sie kamen mit Kind und Kegel.	*They came with bag and baggage.*
Die Gastgeberin kam und gab uns die Hand.	*The hostess came and shook hands with us.*
Tun Sie, als ob Sie zu Hause wären!	*Make yourself quite at home.*
Er war gerade dabei fortzugehen.	*He was just going to leave.*
Ich muss mich jetzt verabschieden.	*I must now take my leave.*
Er versäumte den Zug.	*He missed the train.*
Er vermisste sein Gepäck.	*He could not find his luggage.*
Er wurde durch Pass- und Zollkontrolle aufgehalten.	*He was held up by passport and customs examination.*
Er ist beschäftigt auszupacken.	*He is busy unpacking.*

In gerader Linie	} *As the crow flies*
In der Luftlinie	
Auf dem geraden Weg	*In a bee-line*
Ein tüchtiges Stück Weges	*A good distance*
Er hat sich verirrt.	} *He has lost his way.*
Er hat den Weg verfehlt.	
Halten Sie sich rechts (links)!	*Keep to the right (left).*
*Gehen Sie immer der Nase nach!	*Go straight ahead; follow your nose.*
Er hat den Vorsprung gewonnen.	*He has got the lead.*
Er ist über alle Berge.	*He is off and away.*
Er hat sich viel Wind um die Nase wehen lassen.	*He has seen a good deal of the world.*
Er ist ein Weltenbummler.	*He is a globe-trotter.*
Er ist den ganzen Tag auf den Beinen gewesen.	*He has been on the go all day.*
Der Schaffner fertigt die Passagiere ab.	*The conductor is attending to the passengers.*
Er bog scharf um die Ecke.	*He turned a sharp corner.*
Sein Wagen hat eine Panne.	*His car has broken down.*
Er muss einen Reifen reparieren lassen.	*He must get a tyre mended.*
Kann ich meinen Wagen hier stehen lassen?	*Can I park my car here?*
Ich habe kein Benzin mehr.	*I have run out of petrol.*
Er lässt das Auto vollkommen in Stand setzen, überholen.	*He gets his car completely overhauled.*
Meine Batterie hat versagt.	*My battery has failed.*

(4) CONVERSATION, CORRESPONDENCE, TELEPHONE

Er stellte mir eine Frage.	*He asked me a question.*
Was ist das Thema der Unterhaltung?	*What is the subject of the conversation?*

Wie ist die Sache verlaufen?	*How did things go?*
Es ist ein gebräuchliches Wort.	*It is a word in common use.*
Die Betonung liegt auf der letzten Silbe.	*The stress is on the last syllable.*
Das Wort liegt mir auf der Zunge.	*The word is on the tip of my tongue.*
Das soll mir nicht über die Lippen kommen.	*That shall not pass my lips.*
Der langen Rede kurzer Sinn	*The long and the short of it.*
Ein Wort gab das andere.	*One word led to another.*
Kommen Sie zur Sache!	*Come to the point.*
Bleiben Sie bei der Sache!	*Keep to the point.*
Reden Sie nicht um die Sache herum!	*Don't beat about the bush.*
Nennen Sie es beim rechten Namen!	*Call a spade a spade.*
Er plaudert aus der Schule.	*He tells tales out of school.*
Binden Sie es ihnen nicht auf die Nase!	*Don't blurt it out to them.*
*Zupfen Sie sich an der eigenen Nase! Kümmern Sie sich um Ihre eigenen Angelegenheiten!	*Mind your own business.*
Er liess mich merken, dass . . .	*He gave me to understand that . . .*
Er hört mit gespannter (brennender) Aufmerksamkeit zu.	*He listens with close attention.*
Er spricht durch die Blume. Er spricht verblümt.	*He is speaking figuratively.*
Er spricht Kauderwelsch.	*He speaks double Dutch.*
Das ist Haarklauberei.	*That is hairsplitting.*
Ich will mir die Adresse notieren.	*I'll make a note of the address.*
Lassen Sie mir Nachricht zukommen!	*Let me know.*

Lassen Sie mir ein paar Zeilen zukommen!	*Drop me a line.*
Er gibt einen Brief zur Post.	*He posts a letter.*
Wieviel beträgt das Porto?	*How much is the postage?*
Kann ich das einschreiben lassen?	*Can I have this registered?*
Mit der heutigen Post	*By to-day's post*
Mit umgehender Post Postwendend	} *By return of post*
Drahtwendend	*By return telegram*
Ihr gefälliges Schreiben	*Your esteemed letter*
Er wird morgen wieder anrufen.	*He will ring again tomorrow.*
Alle Leitungen sind besetzt.	*All (telephone) lines are engaged.*
Bitte, geben Sie mir die Aufsicht!	*Supervisor, please. (Telephone.)*
Bitte, nehmen Sie das Gespräch ab!	*Please take the call.*
Können Sie es ihm, bitte, bestellen; ausrichten.	*Could you please give him this message.*
Er hat ihnen Bescheid hinterlassen.	*He has left word for them.*
Er hängt ab.	*He puts back the (telephone) receiver.*

(5) TIME, DATES, PLACE

Wie lange dauert es?	*How long does it take?*
Es dauerte zweieinhalb Stunden, unser Ziel zu erreichen.	*It took us two and a half hours to reach our destination.*
Die Zeit ist abgelaufen.	*The time has expired.*
Er zieht die Uhr auf.	*He is winding up the clock.*
Er stellt seine Uhr nach dem Radio-Zeitchen.	*He sets his watch by the radio time-signal.*
Er kommt immer auf die Minute (auf den Schlag).	*He always arrives punctually on the dot.*

Er hält streng auf Pünktlichkeit.	*He is very particular about punctuality.*
Kommen Sie rechtzeitig!	*Come in good time.*
Ich kann mich mit der Zeit nach Ihnen richten.	*I can arrange my time to suit you.*
Er hat es eilig.	*He is in a hurry.*
In höchster Eile.	*With all speed.*
Er nimmt sich nicht die Zeit, es zu machen.	*He does not allow himself the time to do it.*
Zu jeder Zeit	*At any time*
Alles zu seiner Zeit!	*All in good time!*
Es hat damit gute Wege.	*There is no hurry about it; it is still a long way off.*
Volldampf voraus!	*Full steam ahead!*
Er vergeudet viel Zeit. Er vertrödelt viel Zeit. }	*He wastes a lot of time.*
Er fährt auf einige Tage an die See.	*He is going to the seaside for a few days.*
Er freut sich auf die Ferien.	*He is looking forward to the holidays.*
Ein Mann in seinen Jahren (in seiner Stellung)	*A man of his years (of his position)*
In seinem Alter	*At his time of life*
Er ist minderjährig (minorenn).	*He is a minor.*
Er ist mündig geworden.	*He has come of age.*
Abend für Abend	*Evening after evening*
Gerade an dem Tag	*The very day*
Heute über acht Tage	*This day week*
Im Jahre des Heils	*In this year of grace*
Vor unvordenklichen Zeiten	*From time immemorial, time out of mind*
Eine ewig lange Zeit	*Month of Sundays*
Die Zeit verstreicht.	*Time passes.*
Im Handumdrehen	*In a trice; in the twinkling of an eye*

Unter dem Eindruck des ersten Augenblicks ·	*At first sight, on the spur of the moment*
Er will es beschlafen.	*He wants to sleep on it.*
Vor der Hand	*For the present*
Er gewährt ihm eine Galgenfrist.	*He grants him a short respite.*
Das ist sein Henkermahl.	*That is his farewell meal.*
Er lässt der Sache ihren Lauf.	*He lets the thing take its course.*
Nun kommt die Reihe an ihn. Nun ist er an der Reihe. *Nun ist er 'dran'.	*Now it is his turn.*
Passt es Ihnen morgen?	*Does tomorrow suit you?*
Was haben Sie heute abend vor?	*What are your plans for tonight?*
Er ist auf elf Uhr bestellt.	*He has an appointment for eleven o'clock.*
Kommen Sie vor elf Uhr!	*Don't come later than eleven o'clock.*
Kommen Sie erst Donnerstag!	*Don't come until Thursday.*
Ich erwarte eine Antwort bis Sonnabend.	*I expect a reply by Saturday.*
Er kann gegenwärtig nicht abkommen.	*He cannot get away at present.*
Man muss an Ort und Stelle sein.	*One must be on the spot.*
Man hat drei Stunden zu gehen.	*It is a three hours' walk.*
Er wohnt nebenan.	*He lives next door.*
Das Zimmer liegt nach dem Hofe zu.	*The room overlooks the yard.*
Das Zimmer liegt nach Osten. Das Zimmer geht nach dem Osten.	*The room faces east.*

B

*Alle Nasenlang	*Every few steps*
Keinen Fingerbreit	*Not an inch*

(6) HEALTH AND WEATHER

Ich fürchte, Sie werden sich erkälten.	*I am afraid you will catch a cold.*
Er hat sich auf den Tod erkältet.	*He has caught his death of cold.*
Er zittert vor Kälte.	*He is trembling with cold.*
Er hat sich einen Schnupfen geholt.	*He has caught a cold.*
Prost!	} *Bless you! (when someone is*
Zur Gesundheit!	*sneezing).*
Er hat sich eine Krankheit zugezogen.	*He has contracted a disease.*
Er begann zu kränkeln.	*His health began to fail him.*
Er hat die ganze Nacht kein Auge zugemacht.	*He didn't sleep a wink all night.*
Er hat an seiner Gesundheit Schaden gelitten.	*His health has suffered.*
Er schickte nach dem Arzt.	*He sent for the doctor.*
Ein Mittel gegen eine Erkältung	*A cure for a cold*
Der Arzt misst dem Patienten die Temperatur.	*The doctor takes the patient's temperature.*
Er hält den Atem an.	*He holds his breath.*
Er kommt ausser Atem.	*He gets out of breath.*
Er ist nicht ganz auf dem Posten.	*He feels out of sorts.*
*Er ist ganz herunter.	*He is run down.*
Er ist erholungsbedürftig.	*He is in need of a change.*
Es geht mir jetzt gut.	*I am feeling all right now.*
Er ist bei guter Gesundheit.	*He is in good health.*
Es geht bergauf.	*I am getting better (health); things are getting better.*
Er ist mit dem Leben davongekommen.	*He escaped with his life.*

Er ist mit heiler Haut davongekommen.	*He saved his skin.*
Er räuspert sich.	*He clears his throat.*
Der Schock ist ihm in alle Glieder gefahren.	*He feels the shock in every limb.*
Es geht ihm durch Mark und Bein.	*It sends a shiver through him.*
Er ist schlaftrunken.	*He feels drowsy.*
*Er hat einen Stich.	
*Bei ihm ist eine Schraube los.	} *He has a screw loose.*
*Er hat einen Vogel im Kopf.	} *He has a bee in his bonnet; he is 'cracked'.*
*Er hat einen Nagel im Kopf.	
Er ist unausgeglichen.	*He is unbalanced.*
Er hat Hand an sich selbst gelegt.	*He has attempted his own life.*
Er hat sich den Magen verdorben.	*He has got indigestion.*
Er hat sich das rechte Bein gebrochen.	*He has broken his right leg.*
Er ist an Gicht erkrankt.	*He is suffering from gout.*
Er stirbt vor Hunger.	*He is dying of hunger.*
Er ist stocktaub.	*He is stone deaf.*
Er ist mausetot.	*He is stone dead, as dead as mutton.*
Bei schönem Wetter	*In fine weather*
Es wird gewittern.	*A thunder-storm is coming up.*
Vom Blitze getroffen	*Struck by lightning*
Der Blitz hat ins Dach eingeschlagen.	*The lightning has struck the roof.*
Ein Blitz aus heiterem Himmel	*A bolt from the blue*
Es regnet in Strömen.	*It is pouring.*
*Es regnet Bindfaden. der Bindfaden (ä)=*string*	} *It is raining cats and dogs.*

Er ist bis auf die Haut nass. *Er ist pitsch-nass.	} *He is soaked to the skin.*
Es friert Stein und Bein.	*It is freezing hard.*
Die Scheiben sind beschlagen.	*The window-panes are covered with moisture.*
Die Luft ist zum Schneiden.	*You could cut the air with a knife.*
Er will ein bisschen frische Luft schnappen.	*He wants to go out for a breath of air.*

  schnappen = *to snap, snatch*

(7) FOOD AND DRINK

Bedienen Sie sich! Langen Sie zu!	} *Help yourself.*
Man legte uns zweimal vor.	*We were given two helpings.*
Nehmen Sie eine Tasse Tee!	*Have a cup of tea.*
Sie hat das Gericht aufgetragen.	*She has served the dish.*
In die Suppe gehört Salz.	*The soup requires salt.*
Gut durchgebraten	*Well done (meat)*
Nur halb gebraten	*Underdone*
Er liess das Wasser im Kessel kochen.	*He kept the kettle boiling.*
Das lässt mir das Wasser im Munde zusammenlaufen.	*It makes my mouth water.*
Das reizt ihm den Gaumen.	*That tickles his palate.*
Das Essen bekommt mir nicht.	*The food does not agree with me.*
Er wird aufgepäppelt.	*He is being spoon-fed.*
Er hat sich krank gegessen.	*He has over-eaten.*
Wir wollen heute auswärts essen.	*We'll dine out to-day.*
Er hält eine Tischrede.	*He makes an after-dinner speech.*
Wir haben nur zwei Flaschen übrig.	*We have only two bottles left.*

Er hat einer Flasche den Hals gebrochen.	He has cracked a bottle.
*Er giesst einen hinter die Binde.	} He wets his whistle.
*Er feuchtet die Gurgel an.	
Er bringt ihre Gesundheit aus.	He proposes their health.
Er trinkt auf ihre Gesundheit.	
Er trinkt ihnen zu.	} He drinks their health.
Er bringt ihnen einen Trinkspruch aus.	
Zur Gesundheit!	Your health!
Prost! Prosit!	Cheers!
Er hat einen Rausch.	He is drunk.

(8) PERSONALITY, CHARACTER, MOOD, BEHAVIOUR

Das ist seine starke Seite.	That is his strong point.
Das ist seine schwache Seite.	That is his foible.
Er ist zum Mann herangewachsen.	He has become a man.
Er ist von gewöhnlichem Aussehen.	He is ordinary-looking.
Er ist dickfellig.	} He has a thick skin.
Er ist unempfindlich.	
Er ist feinfühlend.	He is sensitive.
Er ist sehr empfindlich.	He is touchy, easily offended.
Er ist auf dem Posten.	He is on the alert.
Er ist auf der Hut.	He is on his guard.
Er macht viel Aufhebens.	} He is making a lot of fuss.
Er macht viel Wesens.	
*Er steckt seine Nase in alles.	He pokes his nose into everything.
Er fühlt sich dazu berufen.	He has a vocation (call) for it.
Er nimmt es sehr genau.	He is very particular.

Er lässt fünf gerade sein.	*He is not over-particular.*
Er lebt gedankenlos dahin.	
Er verspricht sich goldene Berge.	*He lives in a fool's paradise.*
Mir liegt nichts daran.	*I don't care for it.*
Er macht sich nichts daraus.	*He does not care for it.*
Er fragt nicht danach.	*He does not care a pin about it.*
Es ist mir gleichgültig.	
Es ist mir egal.	*It is all the same to me.*
Er fragt den Henker danach.	*He does not care a straw about it.*
Er ist mit dieser Sache vertraut.	*He is familiar with this matter.*
Er macht es sich bequem.	*He is making himself comfortable.*
Er will sehen, wie der Hase läuft.	*He wants to see how the cat jumps.*
Er wird nicht die Stirn dazu haben.	*He won't have the face to do it.*
Er hält hinter dem Berge.	*He holds back.*
Er hat es beiseite gelegt.	*He has shelved it.*
Er will es sich vom Halse schaffen.	*He wants to get rid of it.*
Er wäscht seine Hände in Unschuld.	*He washes his hands of it.*
Er geht wie die Katze um den heissen Brei herum.	*He beats about the bush.*
Er baut Luftschlösser.	*He builds castles in the air.*
Er lässt sich schwer leiten.	*He is hard to manage.*
Er lässt sich lenken.	*He is manageable, tractable.*
Deswegen krümmt er sich keinen Finger.	*He won't lift a finger for that.*
Er regt weder Hand noch Fuss.	*He does not move a finger.*
Er weicht keinen Fussbreit.	*He will not move an inch.*
Er ist zur Arbeit aufgelegt.	*He feels like working.*

Er macht alles mit.	*He takes part in everything.*
Er hängt seine Arbeit an den Nagel.	*He is giving up his work.*
Er ist eine Schreiberseele.	*He is a pen-pusher.*
Er hat ein gutes Mundwerk.	*He has the gift of the gab.*
Er hat sein Wort gehalten.	*He has kept his word.*
Er lügt wie gedruckt.	*He lies like a book.*
Er tut es insgeheim. Er macht es verstohlen.	} *He is doing it on the sly.*
Er tut es freiwillig.	*He does it of his own accord.*
*Er hält Maulaffen feil.	*He stands there gaping, stargazing.*

(Maul offen = *mouth wide open*)

Er legt die Hände in den Schoss.	*He twiddles his thumbs.*
Es schlägt nicht in sein Fach. Damit befasst er sich nicht.	} *It is not within his province.*

das Fach (ä, -er) = *subject*

Er wird daraus nicht klug.	*He cannot make head or tail of it.*
Er hängt den Mantel nach dem Winde.	*He trims his sails to the wind.*
Er hat das Herz auf dem rechten Fleck.	*His heart is in the right place.*
Er hat ein einnehmendes Wesen.	*He has engaging manners.*
Er ist zerstreut.	*He is absent-minded.*
Er ist darin zu Hause. Er ist darin sehr gut bewandert.	} *He is very skilled (experienced) in it; he is well acquainted with it.*
Er hat die Weisheit mit Löffeln gegessen.	*He thinks himself extremely clever.*
Er ist sehr eingebildet.	*He is very conceited.*
Er setzt sich auf das hohe Pferd.	*He rides the high horse.*

Er ist ein ungeschliffener Mensch.	*He is a rude person.*
*Er hat es faustdick hinter den Ohren.	*He is extremely wide-awake; he is exceedingly wily.*
Er ist ein ausgemachter Narr. } Er ist ein ganzer Narr.	*He is a big fool.*
Er ist ein Taugenichts.	*He is a good-for-nothing.*
Er ist ein Faulpelz.	*He is a lazybones.*
Ein Wolf im Schafspelz.	*A wolf in sheep's clothing.*
*Er ist ein Jammerlappen. } Er ist ein Waschlappen.	*He is a weakling, a poor creature.*
*Er ist aus Pappe. die Pappe (*no plural*) = cardboard	*He is a weakling.*
Er liegt noch in Wickelkissen.	*He is still in swaddling-clothes.*
Er ist ein Duckmäuser.	*He is a sneak.*
Er ist überglücklich.	*He is overjoyed.*
Der Himmel hängt ihm voller Geigen.	*He is in the seventh heaven.*
Sein Gesicht erhellte sich.	*His face brightened.*
Es wurde ihm leichter ums Herz.	*He felt easier in his mind.*
Es liegt ihm schwer auf dem Herzen.	*It weighs heavily upon him.*
Er hat sich das Herz erleichtert.	*He has made a clean breast of it.*
*Das Herz fiel ihm in die Hosen.	*His heart sank.*
Was haben Sie auf dem Herzen?	*What is on your mind?*
Fassen Sie sich ein Herz!	*Take heart, take courage.*
Halten Sie die Ohren steif!	*Keep up your courage.*
Er spitzt die Ohren.	*He pricks up his ears.*
Er ist ganz Auge und Ohr.	*He is all eyes and ears.*
Er hat eine feine Nase.	*He has a keen sense of smell.*
Er rümpfte die Nase.	*He turned up his nose.*

Er witterte Unrat.	} *He smelled a rat.*
Er witterte Lunte.	

   der Unrat (*no plural*)=*rubbish, refuse, garbage.*
   die Lunte (*no plural*)=*match, slow match (artil.)*

Er tobt sich aus.	*He lets off steam.*
Die Kinder toben sich aus.	*The children are expending surplus energy.*
Er ist in übermütiger Laune.	} *He is in high spirits.*
Er ist aufgeräumt.	
Er singt aus voller Kehle.	*He sings at the top of his voice.*
Er geriet in Zorn.	} *He flew into a passion.*
Er wurde hitzig.	
Er schreit ach und weh.	*He laments.*
Er weinte bittere Tränen.	*He shed bitter tears.*
Er versteht keinen Spass.	*He does not know how to take a joke.*
Er macht gute Miene zum bösen Spiel.	*He makes the best of a bad bargain.*
Er verzieht keine Miene.	*He does not betray the slightest emotion, he does not turn a hair.*
Er sieht es mit anderen Augen.	*He sees it differently.*
Er lässt es über sich ergehen.	*He bears it patiently.*
Er lässt Gnade für Recht ergehen.	*He lets mercy take the place of justice.*
Er kommt auf einen Gedanken.	*An idea strikes him.*
Schlagen Sie sich das aus dem Sinn!	*Get that idea out of your mind.*
Er hängt seinen Gedanken nach.	*He gives free play to his thoughts.*
Er ist in Gedanken vertieft.	*He is absorbed in his thoughts.*
Er hat seine Gedanken nicht beisammen.	*He does not concentrate.*
Er hat einen Entschluss gefasst.	*He came to a decision.*

Er hat sich entschlossen.	*He made up his mind.*
Er hat den entscheidenden Schritt getan.	*He has taken the plunge.*
Er will sein Heil versuchen.	*He wants to try his luck, he wants to take his chance.*
Er heckt etwas aus.	*He is up to something.*
Er zieht es in Betracht.	*He is taking it into consideration.*
Er geht an die Arbeit.	*He sets to work.*
Er ist dazu wie gemacht.	*He is cut out for it.*
Er ist gut beleumundet.	*He is in good repute.*
Er hat die Hand im Spiele.	*He has a finger in the pie.*
Er hat das Heft in der Hand.	*He is at the helm.*
Er will seine Kunst beweisen.	*He wants to show what he can do.*
Er ist Feuer und Flamme dafür.	*He is full of enthusiasm for it.*
Er findet Geschmack daran.	*He takes delight in it.*
Er hat alle Hände voll zu tun.	*He is very busy, he is up to his neck in work.*
Er hegt einen Wunsch danach.	*He cherishes a wish for it.*
Er treibt es zu weit.	*He is going too far.*
Er bangt sich danach.	*He is longing for it.*
Ihm bangt vor morgen.	*He is afraid of tomorrow.*
Das ist atemraubend.	*That is breathtaking.*
Brüsten Sie sich nicht damit!	*Don't pride yourself on that.*
Machen Sie keinen Elephanten aus einer Mücke!	*Don't make a mountain out of a mole hill.*
Er hat über die Schnur gehauen.	*He has kicked over the traces.*
die Schnur (ü, -e)=cord	
Sie ist spröde.	*She is prudish.*
Das hat ihm mächtig imponiert.	*It made a tremendous impression on him.*
Er will es wiedergutmachen.	*He wants to make up for it.*

(9) PERSONAL RELATIONS

Er bat mich, ihn morgen zu besuchen.	*He asked me to come and see him tomorrow.*
Er will, dass ich komme.	*He wants me to come.*
Er hat ihn dahin beschieden.	*He bade him appear there.*
Er ging mit seinem Vater spazieren.	*He went for a walk with his father.*
Er holt ihn zu einem Spaziergang ab.	*He calls for him to go for a walk.*
Er geht ihm entgegen.	*He goes towards him, he goes to meet him.*
*Er ist aufgetaucht. Er hat sich eingefunden.	*He has turned up.*
Läuten Sie nach dem Mädchen!	*Ring for the maid.*
Darf ich Sie um Feuer bitten?	*May I trouble you for a light?*
Womit kann ich Ihnen dienen?	*What can I do for you?*
Er erfüllte ihm seine Bitte.	*He complied with his request.*
Bemühen Sie sich nicht, das zu tun!	*Don't trouble to do that.*
Er erkannte sie an ihrem Gang.	*He recognized her by her walk.*
Er kennt ihn vom Sehen.	*He knows him by sight.*
Man bekam ihn nur flüchtig zu sehen.	*You could only catch a glimpse of him.*
Man kann es ihm an der Nase ansehen.	*You can tell by his face.*
Er macht ihm Platz.	*He makes way for him.*
Er nahm ihn an der Hand.	*He took him by the hand.*
Er geht an ihr vorbei.	*He goes past her.*
Er weist mit den Fingern auf ihn.	*He points at him.*
Er hat ihn aus dem Gesicht verloren.	*He has lost sight of him.*

Er fertigt ihn kurz ab.	*He is short with him.*
Sie macht einen Knicks.	*She curtsies.*
Grüssen Sie Ihren Mann!	*Remember me to your husband.*
Empfehlen Sie mich Ihrer Frau Mutter!	*Remember me to your mother (formal).*
Vor aller Augen	*Openly*
Unter vier Augen	*Face to face*
Das geht Sie nichts an.	*That does not concern you.*
Das ist Ihre Angelegenheit.	*It is your business.*
Das gilt Ihnen.	*⎫ That applies to you.*
Das geht auf Sie.	*⎭*
Es war auf ihn gemünzt.	*That was meant for him.*
Lassen Sie sich nichts merken!	*Don't appear to notice anything, don't give the show away.*
Auf Sie wäre er niemals gekommen!	*He would never have thought of you!*
Wie kommen Sie mit ihm aus?	*How do you get on with him?*
Wie sind Sie mit ihm daran?	*On what terms are you with him?*
Er steht mit ihnen in freundschaftlichem Verhältnis.	*He is on friendly terms with them.*
Er steht bei ihnen in Gunsten.	*He is in their good graces.*
Er bewirbt sich um ihre Gunst.	*He is courting their favour.*
Wir halten ihn für einen ehrlichen Mann.	*We consider him an honest man.*
Sie passen gut zusammen.	*They go well together.*
Er hält grosse Stücke auf ihn.	*He has a high opinion of him.*
Er erklärt ihn für seinen Freund.	*He says that he is his friend.*
Er geht ihm an die Hand.	*He gives him a helping hand.*

Sie dürfen sich auf mich beziehen.	You may mention my name (as reference).
Er setzte sich für sie ein. } Er verwandte sich für sie. }	He used his influence on their behalf.
Er setzte ihn auf freien Fuss.	He set him free.
Er hält ihn frei.	He treats him.
Er ist ihr gewogen.	He has a liking for her.
Er ist ihr hold.	He is fond of her.
Er verständigt sich mit ihm.	They come to an understanding.
Er erzielt eine Verständigung mit ihm.	They come to an agreement.
Sie haben sich geeinigt.	They have come to an agreement.
Er machte sie darauf aufmerksam.	He drew their attention to it.
Er stösst ihn mit der Nase darauf.	He brings it forcibly to his notice.
Er zog ihn zu Rat.	He consulted him.
Er benahm ihnen die Schüchternheit.	He put them at their ease.
Er schüttet ihnen sein Herz aus.	He unburdens his heart to them.
Er findet bei ihnen ein geneigtes Ohr.	They give him a favourable hearing.
Er liegt im Streite mit jemandem.	He is at variance with someone.
Sie leben auf gespanntem Fuss.	Relations between them are strained.
Sie liegen sich in den Haaren.	They are at loggerheads.
*Er hat ein Hühnchen mit ihm zu rupfen.	He has a bone to pick with him.
Sie zankten sich mit grosser Heftigkeit.	They went at each other hammer and tongs.
Er belästigt ihn.	He molests him.
Er zieht mich auf.	He is teasing me.

Er hat einen Witz gerissen.	*He has cracked a joke.*
Er macht sie zum Narren. Er hält sie zum Narren. }	*He is making a fool of her.*
Er führt ihn an der Nase herum.	*He leads him by the nose.*
Er tanzt ihnen auf der Nase.	*He makes game of them.*
*Er zieht ihn durch den Kakao. Er hat ihn zum besten. }	*He pulls his leg.*
Er hat ihm einen Bären aufgebunden.	*He has hoaxed him.*
Er macht sich über ihn lustig.	*He makes fun of him.*
Er streckt ihnen die Zunge heraus.	*He puts out his tongue at them.*
Er jagt ihn ins Bockshorn.	*He frightens him out of his wits.*
das Bockshorn (ö, -er)=*buckhorn*	
Er macht ihm einen blauen Dunst vor.	*He humbugs him.*
Er streut ihm Sand in die Augen.	*He throws dust in his eyes.*
Er lässt seine Wut an ihm aus.	*He vents his anger on him.*
*Jemandem aufs Dach steigen.	*To haul a person over the coals.*
*Er haut ihn über's Ohr.	*He cheats him.*
*Er hat ihn über den Löffel barbiert.	*He has tricked him.*
Er hat Angst vor ihr.	*He is afraid of her.*
Er ist ihnen zu nahe getreten.	*He hurt their feelings, he offended them.*
Er hat eine Abneigung gegen ihn gefasst.	*He has taken a dislike to him.*
Er brach den Verkehr mit ihm ab.	*He sent him to Coventry.*
*Er liegt mir im Magen.	*I cannot 'stomach' him.*

Er hat für sie nicht viel übrig.	*He does not think much of her, he has not much use for her.*
Er traut ihnen nicht viel Gutes zu.	*He does not trust them very far.*
Er lässt keinen guten Faden (kein gutes Haar) an ihnen.	*He has not a single good word to say for them.*
Er bringt ihn in Verruf.	*He brings him into discredit.*
Er entwendet ihnen das Heft.	*He wrests the power from their hands.*
Er haut ihn kurz und klein.	*He cuts him to pieces.*
Er fasst ihn beim Kragen.	*He takes him by the scruff of his neck.*
Er hat ihn beim Kragen gepackt.	*He has collared him.*
Er hat ihm ein Bein gestellt.	*He has tripped him up.*
Er macht ihm Beine.	*He makes him find his legs.*
Er gerbt ihm das Leder. gerben = to tan	*He gives him a good hiding.*
Er peinigt ihn aufs Blut.	*He torments him to death.*
Er macht ihnen die Hölle heiss.	*He frightens them out of their wits.*
Er hat ihn umgebracht. *Er hat ihn kalt gemacht.	*He has murdered him.*
Falscher Mensch, heimlicher Feind.	*Snake in the grass.*
Er hat ihm mit gleicher Münze heimgezahlt.	*He gave him a Roland for his Oliver, he paid him back in his own coin.*
Er vergilt Gleiches mit Gleichem.	*He gives tit for tat.*
Er hat ein wachsames Auge auf ihn.	*He keeps an eye on him.*
Er sieht ihm scharf auf die Finger.	*He keeps a strict eye on him.*

Er drückt ein Auge zu. Er sieht ihm durch die Finger.	He overlooks it (an offence), he winks at it.
Er hat ihm auf den Zahn gefühlt.	He has sounded him.
Er hat ihn am Schnürchen.	He has him under his thumb.
Er bietet ihnen die Spitze. Er bietet ihnen die Stirn.	He stands up to them.
Er pfuscht ihnen ins Handwerk.	He encroaches upon their province.
Er legt ihnen das Handwerk.	He stops their proceedings.
Er ist ihnen weit überlegen.	He is far superior to them.
Er kann ihm nicht das Wasser reichen.	He can't hold a candle to him.
Er hängt an der Mutter Schürzenbändel.	He is tied to his mother's apron strings.
*Er macht einen Katzenbuckel.	He makes a profound obeisance; he cringes.
Er antichambriert bei ihnen.	He dances attendance on them.
Er läuft ihnen das Haus ein.	He constantly calls at, besieges their house.
Er musste die Beleidigung einstecken.	He had to swallow the insult.
Er setzt ihnen den Stuhl vor die Tür.	He turns them out.
Er setzt sie an die Luft.	He sends them away.
Ich machte ihm die Tür vor der Nase zu.	I slammed the door in his face.
Er hält sie sich vom Leibe.	He keeps them away from him.
Sie hat ihm einen Korb gegeben.	She has refused his offer of marriage.
Es tut mir leid um ihn.	I am sorry for him.
Er lässt ihn in Ungewissheit.	He keeps him in suspense.
Er lässt ihn im Stich.	He leaves him in the lurch.

Er hat ihn abschlägig beschieden.	*He refused him.*
Er hat ihn aus der Stellung entlassen, verabschiedet.	*He has dismissed him.*
Er hat ihn fristlos entlassen.	*He has dismissed him without notice.*
Was hat er Ihnen zuleide getan?	*What harm has he done you?*
Sie werden es mit ihm zu tun bekommen.	*You will have to deal with him.*
Er giesst Öl ins Feuer.	*He adds fuel to the flames.*
Er ist gespannt, ob sie es wirklich tun werden.	*He wonders whether they will really do it.*

(10) DETERMINATION, SUCCESS

Er strengt sich sehr an.	*He is doing his utmost.*
Er tut ein übriges.	*He does more than is required.*
Er legt sich kräftig ins Zeug.	*He puts his shoulder to the wheel.*
Er setzt seine beste Kraft ein.	*He works with all his might.*
Er wirft sich darauf mit aller Lust (Kraft).	*He goes neck and heels into it.*
Er läuft sich die Beine danach ab.	*He does his utmost to obtain it.*
Er setzt alle Hebel an.	*He makes every possible effort.*
Er bringt es auf die Beine.	*He sets it going.*
Er macht reinen Tisch.	*He makes a clean sweep.*
Er hat es zu Wege gebracht.	*He has brought it about.*
Er erhält die Sache in Gang.	*He keeps things going, he keeps the pot boiling.*
Es nimmt einen günstigen Gang.	*Things are taking a favourable turn.*
Er hat einen guten Griff gemacht.	*He has made a lucky hit.*

c

Er hat den richtigen Griff heraus.	*He has the knack of doing it.*
Er legt die letzte Feile an.	*He is putting the finishing touches to it.*
Das ist gediegene Bearbeitung.	*That is solid workmanship.*
Er hat einen Eindruck gemacht. ⎫ Er hat sich einen Namen gemacht. ⎬	*He has made his mark.*
Er hat sich mit Ruhm bedeckt.	*He has won great fame.*
Alles ist gut abgegangen.	*Everything passed off well.*
Alles geht wie am Schnürchen.	*Everything goes like clockwork.*
Er entspricht den Erwartungen. ⎫ Er genügt den Anforderungen. ⎬	*He is up to the mark.*
Es hat starken Zulauf.	*It is much run after, much sought after.*

(11) EMBARRASSMENT, FAILURE

Ist etwas geschehen?	*Has anything happened?*
Was ist dir? ⎫ Was hast du? ⎬	*What is the matter with you?*
Mir ist schlecht zu Mute.	*I feel ill at ease.*
Ihm ist nicht wohl zu Mute.	*He is not at his ease.*
Er ist ganz benommen.	*He is quite confused.*
Er hat viel durchgemacht.	*He has gone through a lot.*
Er sah ganz verblüfft aus.	*He looked quite dumbfounded.*
Er wurde bis über die Ohren rot.	*He blushed up to the roots of his hair.*
Er hat eine Heidenangst.	*He is in a blue funk.*
Die Haare standen ihm zu Berge.	*His hair stood on end.*
Er zieht ein schiefes Gesicht.	*He pulls a long face.*

Er kommt unverrichteter Sache zurück.	*He returns without having accomplished anything.*
Er läuft Gefahr, alles zu verlieren.	*He runs the risk of losing everything.*
Er übernimmt ein Risiko.	*He takes a risk.*
Er zerbricht sich den Kopf darüber.	*He racks his brain about it.*
Es bleibt ihm weiter nichts übrig.	*He has no alternative.*
Sie sind auf einem toten Punkt angelangt.	*They have come to a dead end.*
Er ist mit seiner Kunst zu Ende.	*He is at his wits' end.*
Er hat nicht die leiseste Vorstellung.	*He hasn't the foggiest idea.*
Es sind ihm böhmische Dörfer.	*It is all Greek to him.*
Sie irren sich.	*You are mistaken.*
Das ist nicht stichhaltig.	*That won't stand the test.*
Es fiel ihm schwer zu verstehen, was ich sagte.	*He had difficulty in understanding what I said.*
Daraus werde der Henker klug!	*That would puzzle Old Nick himself.*
Es wird hart halten zu . . .	*It will be no easy matter to . . .*
Er ist in Verlegenheit.	*He is in an awkward spot.*
Er ist in Verlegenheit geraten.	*He has got himself into an awkward spot.*
Er bringt sie in Verlegenheit.	*He embarrasses her.*
Er ist in der Panne. Er ist in der Klemme.	} *He is in a fix.*
*Er ist in der Tinte.	*He is in a mess.*
Er hat sich die Flügel (Finger) verbrannt.	*He has burnt his fingers.*
Er muss Spiessruten laufen.	*He must run the gauntlet.*
die Spiessrute (-n)=rod, switch	

Er hat sich mit Ruhm be-kleckert.	*He has blotted his copy book.*
Er schlägt sich mit seinen eigenen Worten.	*He contradicts himself.*
Er zäumt das Pferd verkehrt (von hinten) auf. Er fängt es verkehrt an.	*He puts the cart before the horse.*
Er kehrt das Oberste zu un-terst.	*He turns everything upside down.*
*Er ist ins Fettnäpfchen ge-treten.	*He has put his foot into it.*
*Tolpatsch!	*Butterfingers!*
der Tolpatsch=der Tölpel	=*clumsy person*
Er ist auf dem Holzwege.	*He is barking up the wrong tree.*
Alles geht schief.	*Everything is going wrong.*
schief=*crooked, oblique*	
Er hat einen schweren Rück-schlag erlitten.	*He has suffered a severe set-back.*
Er hat eine Katze im Sack gekauft.	*He has bought a pig in a poke.*
Das macht ihm einen Strich durch die Rechnung.	*That upsets his calculations, plans.*
Er hat ihm einen Strich durch die Rechnung gemacht.	*He has thwarted him.*
Es ging nicht ganz glatt ab.	*There was a hitch.*
Da ging es heiss her.	*It was a hot encounter.*
*Das verdirbt mir den gan-zen Kram.	*That spoils all my plans.*
der Kram (*no plural*)=*small wares*	
*Das taugt nicht in meinen Kram.	*That won't do for me.*
Das ist ein schlechter Trost.	*That is a Job's comforter.*
Das ist eine Hiobspost.	*That is bad news.*
Aus dem Regen in die Traufe	*Out of the frying-pan / into the fire.*
die Traufe (-n)=*gutter; eaves.*	

An ihm ist Hopfen und Malz verloren.	*He is incurable.*
Er wird es büssen müssen.	*He will have to pay for it.*
Es geschieht dir ganz recht.	*It serves you quite right.*
Er ist zu Grunde gegangen.	
Er ist auf den Hund gekommen.	*He has gone to the dogs.*
Er ist heruntergekommen.	
Er ist verkommen.	
Er versucht darüber hinwegzukommen.	*He is trying to get over it.*
Das ist eine brotlose Kunst.	*That is an unprofitable business.*
Fort mit Schaden!	*Let it go! Good riddance!*
Zu meinem Schaden	*To my detriment, at my cost*
Es geht ihm wider den Strich.	*It goes against the grain.*
Es geht ihm wider den Sinn.	
Das ist ein Haar in der Suppe.	*That's a fly in the ointment.*
*Da liegt der Hase im Pfeffer!	*There's the rub!*
Die Sache hat einen Haken.	*There is a snag in it.*
Es macht viel Mühe.	*It causes a lot of bother.*
*Es macht viel Murks.	
murksen=sich vergeblich abmühen=*to labour in vain*	
Das wird nicht gut ablaufen.	*This won't end well.*
Es war unvermeidlich.	*It was unavoidable.*
Das hat weder Hand noch Fuss.	*There is neither rhyme nor reason in this.*
*Das wurmt ihn.	*That annoys him.*
der Wurm (ü, -er)=*worm*	
Er verleidet es ihm.	*He spoils it for him.*
Ihm ist der Ort verleidet.	*He is sick of the place.*
*Er hat es bis an den Hals satt.	*He is fed up with it.*
Er hat es satt.	
Er hat es über.	

Er hat es auf dem Hals.	*He is troubled, encumbered with it.*
Es bringt ihn aus der Fassung (aus dem Häuschen).	*It upsets him, puts him out of countenance.*
Er ist aus dem Häuschen.	*He is beside himself.*
Ihm reisst die Geduld.	*He is losing his patience.*
Er muss sich zusammennehmen.	*He must pull himself together.*
Er wird sich eine Lehre daraus ziehen.	*It will be a lesson to him.*
*Er hilft ihm aus der Patsche. die Patsche (-n)=mire, mud Er hilft ihm aus der Verlegenheit.	*He is helping him out of a difficulty.*
Wenn Not an Mann kommt	*If the worst comes to the worst*
Er will sein Gewissen erleichtern.	*He wants to ease his conscience.*
Er ist mit einem blauen Auge davongekommen.	*He has got off cheaply.*

(12) EDUCATION, ARTS

Er hat eine gute (schlechte) Erziehung genossen.	*He has been well (badly) brought up.*
Er hat eine gute Kinderstube genossen.	*He has been well brought up.*
Er interessiert sich sehr für Sprachen.	*He is very interested in languages.*
Er will sein Deutsch auffrischen.	*He wants to brush up his German.*
Was für Bücher soll ich mir besorgen?	*What books shall I get?*
Das Buch bezieht sich darauf.	*The book refers to it.*
Er steckt die Nase in seine Bücher.	*He pores over his books.*

Er hat sich darin vertieft.	*He has become engrossed in it.*
Das Examen (die Arbeit) machte mir viel zu schaffen.	*The examination (work) gave me a great deal of trouble.*
Er hat ein Examen gemacht.	*He sat for an examination.*
Er hat ein Examen bestanden.	*He passed an examination.*
Der Professor hält eine Vorlesung über (+acc.) ...	*The professor delivers a lecture on ...*
Der Gesang gefällt jedem sehr gut.	*Everybody likes the song.*
Die Sängerin hat eine schöne Höhe.	*The singer is good on the high notes.*
Er spielt vom Blatt.	*He plays at sight.*
Sie ist eine Künstlerin von Ruf.	*She is a distinguished artist.*
Vor der Rampe erscheinen	*To appear before the footlights*
Er hat Lampenfieber.	*He is suffering from stagefright.*
Dieses Stück wurde lange Zeit aufgeführt.	*This play had a long run.*
Das Stück wird noch gespielt.	*The play is still on.*
Sie spielen vor leeren Bänken.	*They play to empty houses.*
Bis zum letzten Stuhl, bis zum letzten Winkel besetzt	*Full to capacity*

(13) EXCLAMATIONS, INTRODUCTORY AND GENERAL PHRASES

Was in aller Welt!	*What on earth!*
Um alles in der Welt nicht!	*Not for anything in the world!*

Das wäre!	The Dickens!
Was Sie nicht sagen!	You don't say!
Das will etwas heissen!	That means a good deal.
Das ist mir noch nie vorgekommen!	I have never experienced such a thing before.
Denken Sie an meine Worte! Merken Sie sich das!	} Mark my words.
Tun Sie es um Gottes Willen nicht!	Don't do it on any account.
Lassen Sie sich das nicht einreden!	Don't allow yourself to be persuaded into that.
*Immer die alte Leier.	The same story all over again.

die Leier (-n) = lyre; barrel-organ

Nichts für ungut!	No offence! No harm meant!
Was für Galgenhumor!	What grim humour!
Seien Sie guten Mutes!	Cheer up!
Malen Sie den Teufel nicht an die Wand!	Speak of the devil!
Schütten Sie nicht das Kind mit dem Bade aus!	Don't throw out the baby with the bath-water.
Nichts mehr davon!	Let us hear no more about it.
Abgemacht!	Done! Agreed!
Mach', dass du wegkommst!	Get out of here!
Bleiben Sie mir vom Leibe!	Keep away from me!
Lass' mich in Frieden!	Leave me alone!
*Scher' dich zum Teufel!	Go to blazes! Go to the devil!
*Sie können mir den Buckel lang rutschen!	You can go to blazes!

der Buckel (—) = hump

Man sagt. Es heisst. Es geht die Rede.	} It is said, there is a rumour.
Es stimmt.	That's right.
Das gerade Gegenteil!	Just the contrary!
Bekanntlich	As is well known

Es ist kaum wahrscheinlich.	*It is hardly likely.*
Es kommt nicht in Frage.	*It is out of the question.*
Wie die Dinge jetzt liegen	*As matters stand at present*
An und für sich betrachtet	*Considered by itself*
Unter so gestalteten Umständen	*In these circumstances, such being the case*
Unter solchen Umständen	
Unter allen Umständen	*In any case, at all events*
Wenn dem so ist	*If that is so*
Wie dem auch sein mag	*However that may be*
Ich für meinen Teil . . .	*I for my part . . .*
Vorausgesetzt dass . . .	*Provided that . . .*
Dessen ungeachtet	*In spite of that, for all that*
Im ganzen genommen	*Taking it all round, on the whole*
Um es kurz zu machen	*To put it briefly*
Beiläufig gesagt	*By the way*
Wenn es hoch kommt	*At the most*
Wenn es herauskäme	*If it came to be known*
Es ist kein wahres Wort daran.	*It is a tall story.*
Unter dem Vorwand	*On pretext of*
Über die ganze Welt	*All over the world*
Bei meiner Ehre	*Upon my honour*
Beim ersten Anblick	*At first sight*
Hals über Kopf	*Head over heels*
Ausser Sicht	*Out of sight*
In hohem Grade	*To a large extent*
In Menge	*In scores*
Durch die Bank	*Without exception*
Von Haus aus	*By birth and breeding*
*Um wieder auf besagten Hammel zu kommen . . .	*To return to the subject . . .*
der Hammel (—)=*wether* (cf. Revenons à nos moutons)	
Das ist an den Haaren herbeigezogen.	*That is far-fetched.*

German	English
Als es zum Klappen kam	*When things came to a head*
Aus eigenem Antriebe Von selbst	} *Of his own accord*
Mit Erlaubnis zu sagen	*With due deference to you*
Ich bin so frei.	*I take the liberty.*
Darf ich so frei sein?	*May I take the liberty?*
Ich kann nicht umhin, zu sagen . . .	*I cannot help saying . . .*
Er kann nicht anders als . . .	*He cannot but . . .*
Das steht bei Ihnen.	*It rests with you.*
Er sagt nur so.	*He only says it.*
Es macht nichts.	*It does not matter.*
Das ist unangebracht.	*That is out of place.*
Es fällt in die Augen. Das kann man mit Händen greifen.	} *It is obvious.*
Es liegt vor seiner Nase.	*It is under his very eyes.*
Spass beiseite!	*Joking apart.*
Nur zum Spass!	*Just for the fun of it.*
Machen Sie sich auf etwas gefasst!	*Be prepared for a shock.*
Kein Gedanke daran!	*Not a trace of it.*
Es kommt oft vor.	*It often happens.*
Es gibt deren viele.	*There are many of them.*
Etwas für jeden Geschmack.	*Something to suit every taste.*
Das ist ein Hochgenuss.	*It is a treat.*
Das ist nicht von Pappe.	*That is not to be sniffed at; that's not bad.*
Weht der Wind aus *der* Ecke?	*Is that the way the wind is blowing?*
Hinz und Kunz	*Tom, Dick and Harry*
Das ist Amtsschimmel!	*That is red tape.*
Viel Lärm um nichts.	*Much ado about nothing.*
Das ist aber die Höhe!	*That is the limit!*
Alles muss seine Grenzen haben.	*The line must be drawn somewhere.*
Ich nehm's auf meine Kappe.	*I take responsibility for this.*

Es soll Ihr Schaden nicht sein.	*You shall not regret it, you shall not lose by it.*
Wer zuerst kommt, mahlt zuerst.	*First come, first served.*
Es ist gern geschehen.	*Don't mention it.*
*Wurst wider Wurst!	*Tit for tat!*
In Bausch und Bogen	*In the lump*
Stossweise	*By fits and starts*
Im Schweisse seines Angesichts	*In the sweat of his brow*
Wie vom Blitze getroffen	*Thunderstruck*

(14) MISCELLANEOUS

Es ist niemandem erlaubt, das Zimmer zu betreten.	*No one is allowed to enter the room.*
Niemand darf das Zimmer betreten.	
Endlich gelang es ihm, die Tür zu öffnen.	*He succeeded at last in opening the door.*
Er konnte nur das Pult im Zimmer sehen.	*He could see nothing but the desk in the room.*
Der Strand besteht ganz aus Sand.	*The beach is all sand.*
Er ist seinem Vater wie aus den Augen geschnitten.	*He is the image of his father.*
Der Augapfel	*Apple of one's eye*
Es passt ihm.	*It suits him.*
Der Rock passt ihm gut.	*The jacket fits him well.*
Der Rock lässt (steht) ihr gut.	*The skirt suits her well.*
Es nimmt sich gut aus.	*It looks well.*
Dieser Stoff trägt sich gut.	*This material wears well.*
Er hat seine Kleider abgetragen.	*He has worn out his clothes.*
Es läuft ein.	*It is shrinking.*
Er legt seine Kleider an.	*He puts on his clothes (formal, ceremonial).*

Er legt einen Garten an.	*He lays out a garden.*
Mit aufgekrempelten Armen	*With sleeves rolled up*
Er steht stramm.	*He stands at attention.*
Er zieht den Degen. Er zieht blank.	*He draws his sword.*
Er tritt auf die Redner-bühne.	*He steps on the platform.*
Er lässt sich das Haar schneiden.	*He is getting his hair cut.*
Er macht ein Schläfchen. *Er macht ein Nickerchen.	*He is taking a nap.*
Er gibt keinen Laut von sich.	*He does not utter a sound.*
Er rekelt sich.	*He lolls about.*
*Er würde sich die Finger danach lecken.	*He would jump at it.*
Was ihm nur unter die Finger kommt	*Whatever falls into his hands*
Er kommt gut (schlecht) dabei weg.	*He comes off well (badly).*
Er nimmt es auf sich.	*He takes it upon himself.*
Es wurde in seine Hut gegeben.	*It was entrusted to his care.*
In Gottes Hut	*In God's keeping*
So verhält sich die Sache.	*This is how the matter stands.*
So verhält es sich mit ihm.	*Such is the case with him.*
Er will nach dem Rechten sehen.	*He wants to look after things.*
Er bildet sich ein, dass . . .	*He imagines that . . .*
Er schwört Stein und Bein.	*He takes a most solemn oath.*
Das ist aus der Luft ge-griffen.	*That is fabricated, invented.*
Das ist eine unschuldige (harmlose) Lüge.	*That is a white lie.*
Es ist ans Licht (an den Tag) gekommen.	*It has come to light.*

Man muss der Sache Rechnung tragen.	*You must make allowances for it.*
*Er macht viel Klimbim dafür.	*He is making a great fuss about it.*
der Klimbim (-s)=*musical entertainment; party; humbug*	
Er hat zwei Eisen im Feuer.	*He has two irons in the fire, two strings to his bow.*
Das nimmt ihn wunder.	*That surprises him.*
Er nimmt die Beine in die Hand.	*He takes to his heels.*
Sie laufen um die Wette.	*They run a race.*
Er gewann um eine Halslänge.	*He won by a neck.*
Sie gehen im Gänsemarsch.	*They walk in single file.*
Er ist ohne Abschied weggegangen. Er hat sich heimlich aus dem Staube gemacht. *Er hat sich dünn gemacht.	*He has taken French leave.*
Er hat es von Stapel gelassen.	*He has launched it.*
der Stapel (—)=*scaffolding; stocks for a ship*	
Wie kamen Sie auf den Gedanken?	*How did you come to think of it? How did you get that idea?*
Es bedarf reichlicher Überlegung.	*It requires careful consideration.*
Wer dafür ist, sage ja! Wer dafür ist, hebe die Hand!	*Those in favour say aye!*
Wer dagegen ist, sage nein!	*Those against say no!*
Das Betreten des Rasens ist verboten!	*Keep off the grass.*
Vor Taschendieben wird gewarnt!	*Beware of pickpockets.*
Es klopft.	*There is a knock at the door.*

D

Er übergibt die Braut (als Brautvater).	*He gives the bride away.*
Er ist in den Priesterstand getreten.	*He has taken holy orders.*
Sie ist Nonne geworden.	
Sie ist ins Kloster eingetreten.	*She has taken the veil.*
das Kloster (ö, -er) = *monastery; convent*	
Er macht das Feuer an.	*He lights the fire.*
Er stellt das Gas klein.	*He turns down the gas.*
Er dreht das Gas ab.	*He turns off the gas.*
Das ist hieb- und stichfest.	*That is proof against any criticism.*
Welchen Zeitvertreib ziehen Sie vor?	*Which pastime do you prefer?*
Es lohnt sich, das zu tun.	*It is worth while doing that.*
Mit unterwürfiger Stimme	*In a submissive voice*
Der Groschen ist gefallen.	*The penny dropped.*
der Groschen (—) = 10 Pfennig	

SECTION B: USEFUL VOCABULARY.

(1) GENERAL

abtelegraphieren	*to cancel by wire*
das Abzahlungsgeschäft (-e)	*hire-purchase business*
der Abzahlungsvertrag (ä, -e)	*hire-purchase agreement*
der Abzug (ü, -e)	*print (of photograph); deduction*
die Aktentasche (-n) die Aktenmappe (-n)	} *brief-case*
der Altweibersommer (—)	*Indian summer*
die Anstandsdame (-n)	*chaperon*
die Anstandsregeln	*rules of etiquette*
die Aufnahme (-n)	*snapshot; reception; admittance*
die Aufräumefrau (-en)	*charwoman*
eine Frucht auskernen	*to stone a fruit*
die Ausrüstung (-en)	*outfit*
die Aussenantenne (-n)	*outside aerial*
die Bauspargesellschaft (-en)	*building society*
die Bekenntnisschule (-n)	*denominational school*
das Besetztzeichen (—)	*engaged signal (telephone)*
der Bezugsschein (-e)	*ration card*
das Butterbrotpapier (-e)	*greaseproof paper*
die Distanzliebe (*no pl.*)	*love at a distance*
ein dreistöckiges Haus	*a three-storied house*
druckreif	*ready for the press*
ehrenamtlich	*honorary*
die Einbahnstrasse (-n)	*one-way street*
die Einkommensteuererklärung (-en)	*income-tax return*
die Einstellgebühr (-en)	*parking fee*

39

die Fabrikmarke (-n)	*trade mark*
der Facharbeiter (—)	*skilled worker*
der Fernsprechautomat (-en)	*public telephone*
das Feuerwerk (-e)	*firework*
der Fingerabdruck (-e)	*finger-print*
eingemachtes Fleisch (*no pl.*)	*preserved meat*
gehacktes Fleisch (*no pl.*)	*minced meat*
das Pökelfleisch (*no pl.*)	*pickled meat*
der Freilauf (*no pl.*)	*free-wheel*
die Freilichtaufführung (-en)	*open-air performance*
die Gänsefüsschen (*pl. only*)	*inverted commas*
die geistige Betätigung	*mental activity*
die Gepäckannahme (*no pl.*)	} *luggage office*
die Gepäckaufnahme (*no pl.*)	
das Gepäcknetz (-e)	*luggage rack*
aufs Geratewohl	} *at random*
blindlings	
geschäftlich	*on business*
die Gewerkschaft (-en)	*trade union*
der Griesgram (*no pl.*)	*grumbler*
haarklein	*as fine as hair*
hamstern	*to hoard*
die Hauptgeschäftsstunden	} *rush hours*
die Hauptverkehrsstunden	
das Hausgesinde (*no pl.*)	*domestic servants*
die Hausmannskost (*no pl.*)	*plain fare*
der Hausschwamm (*no pl.*)	*dry rot*
eine gute Heirat	*a good match*
die Heirat aus Neigung (aus Liebe)	*love match*
der Heiratsvermittler (—)	} *match maker*
der Ehestifter (—)	
der Herumtreiber (—)	*tramp, loafer*
die Hochkonjunktur (-en)	*peak season*
die Höchstbelastung (*no pl.*)	*maximum load*
die zulässige Höchstgeschwindigkeit	*speed limit*

höhnisch lachen	*to sneer*
humpeln	*to hobble*
der Jahrgang (ä, -e) (vom Wein)	*vintage*
die Kammgarnspinnerei (-en)	*worsted mill*
der Kassenarzt (ä, -e)	*panel doctor*
die Konferenz (-en) am grünen Tisch	*round-table conference*
ein Monat Kündigungsfrist	*a month's notice*
die freien (schönen) Künste (*pl. only*)	*liberal arts*
die schönen Künste (*pl. only*)	*fine arts*
der gegenwärtige Kurs (-e) (an der Börse)	*the present rate of exchange*
die Börse (-n) = *stock exchange*	
die Lebensmittelknappheit (*no pl.*)	*food shortage*
der Lumpenhändler (—)	*rag and bone man*
die Lynchjustiz (*no pl.*)	*mob-law*
das Nachschlagebuch (ü, -er)	*reference book*
der Nebenanschluss (ü, -e)	*extension (telephone)*
die Notlandung (-en)	*forced landing*
der Opfertag (-e)	*flag day*
der Postwagen (—)	*mail van*
das Reklameschild (-er)	*advertising board*
der Rummelplatz (ä, -e)	*fairground*
der Rummel (—) = *uproar, hubbub*	
der Rundfunkempfänger (—)	*wireless receiving set*
das Rundfunkprogramm (-e)	*wireless programme*
die Rundfunkstation (-en) der Rundfunksender (—)	} *wireless transmitter*
die Schadenersatzklage (-n)	*action for damages*
die Schadenfreude (*no pl.*)	*malicious joy at another's misfortune*
die Scheibengardine (-n)	*lace window-curtain*
das Scherenfernrohr (-e)	*periscope*

die Schiebetür (-en)	*sliding door*
das Schmollen (*no pl.*)	
das mürrische Wesen (*no pl.*)	*sulkiness*
der Schraubenzieher (—)	*screw-driver*
die Schwindelgesellschaft (-en)	*bogus company*
sich sonnen	*to sunbathe*
sich sonnen an (+*dat.*)	*to take delight in*
die Stichhaltigkeit (*no pl.*)	*soundness*
der Strassenanzug (ü, -e)	*lounge suit*
das Telephonteilnehmer-verzeichnis (-se)	
das Telephonbuch (ü, -er)	*telephone directory*
das Fernsprechbuch (ü, -er)	
ein unentschiedenes Spiel (-e)	*draw (drawn match)*
vergriffen (von Büchern)	*out-of-print*
die Verknappung (-en)	*scarcity, shortage*
der Vorkosthändler (—)	*provision dealer*
der Werkzeugkasten (ä)	*tool box*
die Wickelgamasche (-n)	*puttee*
die Wiedererstattung (*no pl.*)	*restitution*
die Zeitschrift (-en)	*periodical*
der Zigarettenstummel (—)	*cigarette-end*

(2) MOTORING

der Anlasser (—)	*starter*
der Beiwagen (—) (eines Motorrades)	*side-car (of a motor bicycle)*
das Benzin (*no pl.*)	*petrol*
Benzin auffüllen	*to fill up with petrol*
das Ersatzrad (ä, -er)	*spare wheel*
die Führerprüfung (-en)	*driving test*
der Führerschein (-e)	*driving licence*
die Fussbremse (-n)	*foot brake*

der Gashebel (—)	*accelerator*
der Geschwindigkeitsmesser (—)	*speedometer*
die Handbremse (-n)	*hand brake*
das Hinterrad (ä, -er)	*backwheel*
die Hupe (-n)	*motor horn*
hupen	*to sound the horn*
der Kotflügel (—)	*mudguard*
der Kühler (—)	*radiator*
der Kupplungshebel (—)	*clutch pedal*
die Kurve (-n)	*bend, curve*
die Luftdüse (-n)	*choke*
die Motorhaube (-n)	*bonnet*
das Nummernschild (-er)	*number plate*
ölen	*to oil*
ölen und schmieren	*to oil and grease*
der Reifen (—)	*tyre*
das Schaltbrett (-er)	*switchboard*
der Schalthebel (—)	*gear lever*
der Scheibenwischer (—)	*windscreen wiper*
der Scheinwerfer (—)	*headlight*
das Scheinwerferlicht (-er)	*spot light*
das Steuerrad (ä, -er)	*steering wheel*
die Stossstange (-n)	*bumper*
die Tankstelle (-n)	*petrol station*
das Trittbrett (-er)	*running-board*
die Umsteuerung (*no pl.*)	*reversing gear*
das Verdeck (-e) zurück-schlagen	*to pull back the hood*
das verschiebbare Verdeck (-e)	*sunshine roof*
der Vergaser (—)	*carburettor*
das Vorderrad (ä, -er)	*front wheel*
die Windschutzscheibe (-n)	*windscreen*
der Winker (—)	*indicator*
die Zündkerze (-n)	*sparking plug*
die Zündung (*no pl.*)	*ignition*

SECTION C: PREPOSITIONS; WORDS OFTEN CONFUSED; HOMONYMS.

(1) PREPOSITIONS

denken an (*acc.*)	*to think of*
gewöhnt sein an (*acc.*)	*to be accustomed to*
glauben an (*acc.*)	*to believe in*
erkennen an (*dat.*)	*to recognize by*
sterben an (*dat.*)	*to die of*
reich sein an (*dat.*)	*to be rich in*
arm sein an (*dat.*)	*to be poor, deficient in*
mangeln an (*dat.*)	*to be lacking, deficient in*
aus Mangel an (*dat.*)	*for want of*
eifersüchtig sein auf (*acc.*)	*to be jealous of*
neidisch sein auf (*acc.*)	*to be envious of*
stolz sein auf (*acc.*)	*to be proud of*
bedacht sein auf (*acc.*)	*to be mindful of, intent on*
achten auf (*acc.*)	*to look after*
aufpassen auf (*acc.*)	*to look after; to pay attention to*
beliebt sein bei (*dat.*)	*to be popular with*
sich interessieren für (*acc.*)	*to be interested in*
erstaunt sein über (*acc.*)	*to be astonished at*
böse sein über (*acc.*)	*to be angry about*
traurig sein über (*acc.*)	*to be sad about*
lachen über (*acc.*)	*to laugh about*
sprechen über (*acc.*)	*to talk about*
sich freuen über (*acc.*)	*to be pleased about*
sich ärgern über (*acc.*)	*to be annoyed about*
sicher sein vor (*dat.*)	*to be safe from*
sich fürchten vor (*dat.*)	*to be afraid of*
beunruhigt sein wegen (*gen.*)	*to be worried on account of*

45

fähig sein zu (*dat.*)	*to be capable of*
kraft (*gen.*)	} *by virtue of*
vermöge (*gen.*)	

(2) WORDS OFTEN CONFUSED

jemanden erinnern an (*acc.*)	*to remind someone of*
sich erinnern an (*acc.*)	} *to remember*
sich erinnern (+*gen.*)	
jemanden erwarten	*to expect someone*
auf jemanden warten	*to wait for someone*
ausschlafen	*to have a good night's rest*
einschlafen	*to fall asleep*
verschlafen	*to oversleep*
einholen	*to catch up; to shop*
überholen	*to overtake*
verlegen	*to postpone; mislay; publish (book)*
verlegen sein	*to be embarrassed*
sich auf eine Sache verlegen	*to apply oneself to a thing*
meinen	*to think*
bedeuten	*to mean*
einige	*some, a few*
wenige	*few*
rückständig	*in arrears*
rückständig, veraltet	*behind the times*
ein durchgehender Zug	*a through-train*
ein durchgehendes Pferd	*a bolting horse*
das Mark (*no pl.*)	*marrow*
die Mark (*no pl.*)	*Mark*
die Marke (-n)	*stamp; brand*

der Stift (-e)	*tack; pencil; apprentice (slang)*
das Stift (-e)	*charitable foundation; convent*
der Tau (*no pl.*)	*dew*
das Tau (-e)	*rope*
das Gift (-e)	*poison*
die Mitgift (*no pl.*)	*dowry*
die Rückkehr (*no pl.*)	*return; home journey*
der Verkehr (*no pl.*)	*traffic; intercourse*
der Versuch (-e)	*attempt; trial; test*
das Gesuch (-e)	*request; petition; application*
der Mut (*no pl.*)	*courage*
die Anmut (*no pl.*)	*charm*
die Demut (*no pl.*)	*humility*
die Grossmut (*no pl.*)	*generosity*
der Hochmut (*no pl.*)	*haughtiness; pride; arrogance*
das Gemüt (-er)	*mind; feeling; soul*
das Gericht (-e)	*court; dish (of food)*
der Bericht (-e)	*report*
die Nachricht (-en)	*news*
die Andacht (-en)	*(religious) devotion*
der Bedacht (*no pl.*)	*deliberation, caution*
der Verdacht (*no pl.*)	*suspicion*
der Hut (ü, -e)	*hat*
die Hut (*no pl.*)	*protection*
das Band (ä, -er)	*ribbon*
der Band (ä, -e)	*volume*
die Bande (-n)	*troupe, gang*
der Kohl (Kohlköpfe)	*cabbage*
die Kohle (-n)	*coal*

das Fach (ä, -er)	*drawer; subject*
der Fächer (—)	*fan*
der Schrank (ä, -e)	*cupboard, wardrobe*
die Schranke (-n)	*barrier*
der Stock (ö, -e)	*stick*
der Stock (Stockwerke)	} *storey*
das Stockwerk (-e)	

(3) HOMONYMS

der Anschlag (ä, -e)	*poster; estimate; plot*
der Bauer (—)	*cage*
der Bauer (-n)	*peasant*
der Boden (*no pl.*)	*ground; soil*
der Boden (ö)	*loft; attic*
der Bogen (—)	*bow; curve; sheet of paper*
die Decke (-n)	*cover; ceiling*
der Drache (-n)	*dragon; kite*
die Feder (-n)	*pen; feather; spring*
der Flügel (—)	*wing; grand piano*
das Futter (*no pl.*)	*fodder; lining*
das Geschirr (*no pl.*)	*crockery; harness (horses)*
der Hahn (ä, -e)	*cock; tap*
der Hof (ö, -e)	*yard; court; farm*
der Kegel (—)	*cone; skittle; ninepin*
der Reif (-en)	*ring; hoop*
der Reif (*no pl.*)	*hoar-frost*
die Rinde (-n)	*bark (of tree); crust*
der Schalter (—)	*counter; switch*

der Schauer (—)	*shower*
der Schauer (*no pl.*)	*awe*
die Scheibe (-n)	*slice; pane (of glass); orb*
das Schloss (ö, -er)	*castle; lock*
der Strauss (ä, -e)	*bouquet; fight*
der Strauss (-e)	*ostrich*
der Verband (ä, -e)	*federation; union; bandage*
die Weide (-n)	*pasture; willow*
der Zoll (—)	*inch*
der Zoll (ö, -e)	*toll, duty*
der Zoll (*no pl.*)	*tribute*
der Zug (ü, -e)	*train; procession; trait; passage (of birds)*
der Zug (*no pl.*)	*draught*